JUAN MARSÉ

PLAZA & JANÉS

JUAN MARSÉ

Señoras y señores

Retratos con retoques
(1974-1984)

PLAZA & JANÉS EDITORES, S.A.

Diseño de la portada: Dpto. Artístico de Plaza & Janés
Ilustración de la portada: © Modest Cuixart. VEGAP

Primera edición en México: junio, 1998

Impreso en México / *Printed in Mexico*

ISBN: 968-11-0313-0

ÍNDICE

Hoy es extremadamente difícil utilizar a las figuras públicas como temas poéticos porque el bien o el mal que realicen depende menos de sus naturalezas e intenciones que de la cantidad de fuerza impersonal de que dispongan.

W. H. AUDEN

Juan Marsé o las arbitrariedades de un mirón

El mirón se asoma a las ventanas, a los escaparates, a los escotes del mundo y deja una mirada, a veces incluso un mordisco. Porque este mirón tiene la mirada dentada y sus ojos mastican al farsante correoso o de entre sus dientes sale una lengua cansada y caliente para recorrer las geografías de las preciosas ridículas o no. Juan Marsé ha aportado a la novela española el personaje de Pijoaparte, marginado social caprichosamente asomado al mundo de los ricos y de los cultos, de los prestigios y los prestidigitadores, con el desdén de los pulgares que asoman de los bolsillos del pantalón y los zapatos domingueros de puntera siempre dispuestos a cambiar de espectaculo, drogadicto de gestos ajenos, cuanto más lejanos mejor. Personaje y autor se falsifican mutuamente, continuamente, alternativamente y recorren juntos una vida de escrituras, críticas insuficientes, letras bancarias, años estúpidamente bisiestos, mirando autor y criatura siempre de reojo el mundo, como los chulos de barrio y los cobradores de autobús desde que los han convertido en animales sentados.

Hacía falta un mirón dentado y despegado para crear una de las secciones más brillantes de las publicaciones periódicas españolas de todos los tiempos; una sección que se ha convertido en género: retrato literario, *lectura en las rayas de los rostros y los gestos. Marsé ha leído a sus personajes a partir de un alfabeto moral sumamente duro contra la falsificación de los valores masculinos y sumamente blando con la exageración de los valores físicos femeninos. Pijoaparte estaba obligado a ser implacable con los hombres y Marsé estaba obligado a expresar esa sed de hembra con la que los españoles se levantan y se acuestan, nacen y mueren, una sed de hembra cultural y vergonzante, como el culto a la madre que nos parió y el respeto por los callos a la madrileña. Creo que esa fascinación por la hembra se forja desde el mismo momento en que por primera vez nos dicen: «Las nenas no se tocan», flagrantemente sorprendidos en el instante de ponerle una inyección de nada a la vecinita de enfrente.*

En estos retratos Marsé ha tomado un claro partido por las mujeres. Han salido mucho mejor paradas que los hombres. Marsé siempre encuentra un hombro hermoso a tiempo o un seno, sea el derecho o el izquierdo, o simplemente una caída del cabello para introducir alabanza o piedad en sus retratos integrales de mujeres. En cambio, a los hombres los lidia y los parte en canal con una fiereza de guerrillero del espíritu, consciente de que se enfrenta a animales peligrosos que han hecho de este mundo un extraño territorio sólo apto para mataderos, mercados y catedrales de la estupidez.

En cuando a su técnica hay que decir que está educada por veinte años de dedicación novelística, a lo largo de los cuales el autor ha conseguido escribir dos de las mejores novelas de la posguerra: Últimas tardes con Teresa *y*

Si te dicen que caí. *Todo lo que ha aprendido Marsé en el arte de describir cosas y personas, y, a través de esa descripción, reflejar la pose de una sociedad, sus tics unas veces llamados valores y otras costumbres, lo ha aplicado en esas pequeñas síntesis geniales que han sido sus «Señoras y Señores». Cualquier lector puede opinar que ha hecho retratos excesivos y a veces retratos injustos, pero nadie podrá decir que no sean retratos hermosos, con esa belleza que consigue el lenguaje cuando se convierte en la segunda piel ceñida a los hombres y a las cosas.*

El autor, anarquista por lo libre, ha guardado para el final de su obra dos retratos clave para comprender en gran manera su actitud moral ante los protagonistas del mundo. Los odios, esos feroces odios de Pijoaparte, se concentran especialmente sobre los que se han atribuido el papel de dueños de la vida y de la historia: vida que para Marsé sería una tarde de verano, un vaso de vino, una muchacha y, en el horizonte del Panadés, Marylin Monroe hablando del tiempo con José Antonio Girón; la Historia, que para Marsé sería convertir a Kissinger en palanganero de cena política. Y también un retrato da la clave de los amores secretos de Juan Marsé: esa mujer víctima del hambre que le ha impedido carnes hermosas. Esa ex mujer. Esa víctima. Las víctimas.

M. VÁZQUEZ MONTALBÁN
(1975)

Isabel Preysler

Ella o la vida secreta y feliz de las muñecas. Porque esta señora tiene algo de mujer-niña y de muñeca, y ese algo se asoma a su boca estática y delicadamente moldeada. Los labios son atrayentes, pero no se trata de eso; es la combinación labios-dientes lo que configura la sonrisa de porcelana, idéntica en cada foto, en cada recepción. La sugestión erótica que irradia su persona es notable y difícil de objetivar. Una mirada superficial se detendrá apenas en el párpado dulce y ensimismado sobre la pupila bancaria, en la cintura de humo y en las piernas. Pero hay mucho más. La plenitud de los pómulos, su tersura, su efluvio gatuno, remite de nuevo a la muñeca de porcelana. La oreja es grande, descarada y ostensible.

En una época que desdeña el empeine del pie y las rodillas maduras, esta señora posee el par de rodillas en sazón más bellas entre toda la gama y variedad que ofrecen las revistas del corazón, corazón de melón. Además, sus piernas son sencillas, de trato afable, hogareñas, si bien a ratos se ven rondadas por una sombría calentura, una ceniza sexual de raíz financiera.

El pliegue de la barbilla denota esmero en la persona. El cuello desnudo y esbelto sostiene con gracia oriental la faz ancha, la cabeza bien formada, peinada simplemente hacia atrás, el pelo negro recogido en la nuca. Mujer de formas juveniles, de caderas elegantes, de compostura trémula muy femenina, de desmayada seda negra: sea cual sea la postura o gesto en que la pille el ojo masculino o el objetivo de la cámara, ella está siempre donde debe y como debe, sentada o de pie, sonriendo levemente, silenciosa y asiática, transmitiendo ese aura de lo visible y también de lo oculto, los senos pequeños y perversos, por ejemplo, o la espalda breve. Le van las blusas de encaje negro con generoso escote en pico. Detrás de la frente tersa hay una mente bien organizada, capacidad de persuasión y la firme voluntad de ser y de estar en el querer y en el poder, o en las cercanías del poder. En relación con ciertas mujeres, como en relación con la política, lo deseable es lo irreal, pero lo irreal es lo único posible.

Isabel Pantoja

Es redondita, de hombros y caderas anchas y de cumplida pechuga bien folclórica, o quizá de cupletista fina, no exactamente de rompe y rasga y con faca en la liga, a lo Lola Flores, pero casi. La viuda sagrada es más dulce, y tiene más flojo el lagrimal. Destaca la mirada triste y dolorida bajo las sombrías banderas de rímel, y la nariz respingona, con un toque de humedad muy *sexy* y un poco tontarrón. Luce hoyuelos en las mejillas de manzana y boca grande, atrayente, de comisuras secas y bien marcadas, desgarradas por el dolor y la astuta discografía.

Hay fisonomías que parecen trémulas estructuras del sentimiento; tramas de amoríos; sedimentos de emociones; repertorios de romances y de boleros. El pelo negro y suelto, dramático, pendonea su prieta y dolorida viudedad por los escenarios. La señora tiene algo de manzana olorosa entre sábanas de lino. Guapa y húmeda, cálida y constipada, la sexualidad agridulce que la vertebra pertenece al género de las damas penitentes con exvoto y cordón morado en la cintura, cachondísimas. Le sientan bien las faldas de satén muy ceñidas, la peineta y la mantilla y el *Paquirrín* cabalgando en la cadera. Su enlutado erotismo es pura tramoya, escenografía floral de capilla taurina en cartón piedra, si bien la suave belleza, los ojos bellos y la frente tersa ahí están.

Por lo demás, se trata de una de esas señoras cuya desnudez es prácticamente impensable, algo que está más allá de la imaginación. A lo más que llega España entera es a preguntarse, y en sordina: ¿a qué Virgen dedicará los suspiros al desnudarse cada noche?, ¿qué pensará cuando vuelva a besar?, ¿se acordará del guapo torero muerto? Optó por convertir su dolor en espectáculo y va por las mil y una representaciones. Junta las manos y no sabemos si se autojalea o se dispone a rezar sollozando. En cualquier caso, desde el punto de vista escenográfico y discográfico viene a ser lo mismo.

Augusto Pinochet

La congestión facial, de artefacto terrible a punto de estallar, es su característica más notable, decíamos de este señor hace doce años. Y un aire de aplastamiento capilar, que la gorra no permite ver; como si hubiese crecido bajo un techo inamovible, desarrollándose por los lados y no por arriba. Es un señor de mucho cuidado, con pinta de pájaro de mal agüero.

¿Ve pasar un avión de combate o tiene una mosca en la visera? ¿Está pensando en *estos señores rusos* o está contando los años que le quedan en el poder? He aquí el rostro largo y adusto de la pesadilla. Bigote canoso, sienes plateadas, fúlgidas insignias. Caballero de plata fúnebre. De su mirada agazapada cuelgan crespones negros. Nariz carnosa, orejas como alimañas, boca torcida por el desdén y el furor de mandar y replegada por el abuso de monosílabos. Entusiasta de capas y capotes de pesados pliegues, algo semejante a un altercado sin palabras temblotea en su barbilla sulfurosa y en su belfo inferior, como el nerviosismo del caballo ante el bocado.

Es relativamente imposible, suponiendo que uno se sintiera con ánimos de hacerlo —abstrayéndose del resto de la cara—, rastrear en las mejillas amorfas alguna mansedumbre, una cierta flojera. Tiene las espaldas de un féretro de lujo. Y no hablemos de la voz de pito en la boca de cuervo: sería de una incongruencia que podríamos calificar de otorrina. Incluso visto de frente, su nuca descomunal y ostentosa se impone. Pero visto de espaldas, por decirlo parodiando a Chesterton, parece exactamente el hombre que necesita la patria. De espaldas y marchándose directamente al sumidero de la Historia y al carajo.

Baltasar Porcel

Este individuo ofrece algunas características físicas interesantes por su notable vigencia en el orden de las gallináceas, en su variedad pavorrealesca. Tiene el cuello inflado y la cabeza azul con cambiantes reflejos verdes y violados, según el Rey o el *Honorable* estén cerca o lejos, y matizados de oro especialmente en verano.

El cuerpo es de color de rosa, anubarrado de verde y de luto, y en la época del celo viaja por China o asiste en París o en Roma a cenas mundanas y envidiables en compañía de célebres personajes envidiablemente mundanos y supuestamente interesantes. Eso es lo que más le gusta al columnista pavero: demostrar que se codea con el poder y mirarse el ombligo.

A esta cara se le han subido los humos a la nariz y parece que bizquea. Palpita a lo largo y ancho de la rijosa fisonomía, desde el flequillo hasta la punta de la barba, el deplorable convencimiento personal de que la gloria literaria es un pastel, y que cuantos menos seamos a la hora de repartir ese pastel, más grande será el trozo que le tocará a él.

Tiene todo el aire de mover los codos y las caderas convenientemente y de saber situarse en medio de la nada más petulante y autosatisfecha de la Cultura Catalano-Balear, Transmediterránea y de los Grandes Expresos Europeos. Con terquedad y auténtica ceguera, con persistente zafiedad, cabalga sobre su frente un flequillo lustroso que no es de novelista —por más que su dueño se empeñe—, sino simplemente de columnista de *La Vanguardia* y palmeador oficial de las reales espaldas.

Su aspecto general es el de un hombre al que le gusta posar para la posteridad con los brazos cruzados y de pie sobre un pedestal de mármol, la barbilla enhiesta y trufado de vanagloria, pujolismo sobón, ceneteísmo monárquico y prochino o como diablos se coma esto. Los ojos, bastante juntos, parecen voraces, ávidos de triunfo en los salones de alguna diputación provincial, en presencia de cualquier politicastro figurón y caramamella. Mirada atravesada como su prosa. Tiene orejas, pero ningún oído literario: entre las plumas del pavo real, tan vistosas, no figura la del talento literario. La jeta del dinámico mallorquín trasuda la babosidad y los churretones de su prosa, al ego descomunal que mueve su pluma y de paso las *parpellas* del *Honorable*, que a su vez tiene el morro presidencial de presentar los engendros literarios del dinámico mallorquín en la mismísima *Generalitat.*

La mejor pluma catalana después de Carmen de Lirio.

Julio Iglesias

No se trata, hay que insistir en ello, de ninguna de las tediosas variantes del guapo hispánico. No; se trata del guapo genuinamente español, posmaduro, algo recompuesto ya, pero muy cálido y muy suyo. Dejemos momentáneamente a un lado la famosa voz de terciopelo raído y observemos esa sonrisa estudiadísima, golosa de hispanidad y galanura, ligeramente ladeada. Resulta bizantino, a estas alturas de la sonrisa encantadora, especular sobre si el cantante más español y racial tiene verdadero talento musical o no. A la sonrisa sólo le interesa una cosa: mantener intacta su sonsa capacidad de seducción y su hispanismo solapado.

Es un señor moreno de voz melosa y sonrisa supuestamente encantadora. Y poco más. Bueno, sí; posee una frente atractiva, unos ojos calientes, una nariz pequeña y bien formada, unos dientes de nieve, un belfo notable, ligeramente húmedo y besucón. El pelo negro sabiamente alborotado oculta —no es ningún secreto— una calva más que incipiente. La mano que mariposea parece la mano yerta y fría de un banquero suizo, incapaz de cobijar un pájaro o un sueño. Las uñas están muy bien.

Pero en los grandes personajes, las leyendas se tejen con lo que no se distingue a simple vista. Y la leyenda de este señor, además, se está tramando allende los mares y los dólares. Por eso luce en la jeta sonriente y moruna, intensa a la manera hispanoide, la importancia social de su trabajo.

Y si es cierto, como dice Nabokov, que lo que pone a una obra de creación auténtica al abrigo de las larvas y del moho no es su importancia social, sino únicamente su arte, las aterciopeladas y dulces variaciones vocales de este pulcro caballero estarán mohosas dentro de muy poco tiempo.

Jordi Pujol

Convergen en esta faz diversos peligros y caramellas, culturetas y firmes convicciones. Teniendo en cuenta que a partir de cierta edad las caras empiezan a caerse, apresurémenos a constatar que si algún día esta cara se hunde, Catalunya de ningún modo se hunde con ella; si se crispa, o se tuerce, o se agria, o se ensucia, la patria no se crispa, ni se tuerce, ni se agria, ni se ensucia. Ante todo, tranquilicémonos.

El pálido semblante de un ex banquero, visto en sí mismo, no es un hecho estético, es un objeto físico entre otros muchos de dudosa utilidad y palidez; el hecho estético de un pálido semblante de ex banquero, en su plenitud formal, tradicionalmente odiosa y oronda, sólo puede producirse con algunas garantías de verosimilitud cuando lo remata la lustrosa chistera. No hay nada lustroso en su honorable figura, a no ser las uñas rosadas y el forro de los bolsillos. He aquí a un señor que confunde Catalunya con su persona. Y, sin embargo, no hay nada en esta fisonomía que recuerde a una nación.

Es una cara redonda y vivaracha, ágil y hábil, con diversos tics de efecto retardado y muy patriótico, que confunde a los poderes de Madrid. Ojos parpadeantes, boquita astuta y dicharachera, cejas inteligentes y umbrías, mejillas de pellizcar. Tiene el señor algo de gnomo, de duendecillo de los bosques. Está muy lejos de ser un personaje de cuento infantil o juvenil, pero, por alguna razón, probablemente por su simpatía esforzada de *boy-scout* en acampada libre —pero sin pasarse—, la mochila a la espalda y la cantimplora al cinto le van. Su estilo, llano y natural, remite a una sana tradición excursionista catalana siempre en vigor, nostálgicas canciones alrededor del fuego, juegos y chistes no muy verdes, escalada matutina al Cavall Bernat y después el Virolai a cuatro voces: *un noi trempat*.

Pero insistimos: si el Honorabilísimo se queda completamente calvo, Catalunya no se queda calva, ni mucho menos. Y si los contribuyentes tuvimos que sacarnos del bolsillo unas 8.000 cucas (cuca más, cuca menos) para tapar en su día el *agujero* de Banca Catalana, no fue porque esa cantidad la extraviara Catalunya o su patrón, Sant Jordi, o la Moreneta, no; fue porque la extravió la Banca y el ex banquero sin chistera. Luego pasó lo que pasó, quedando todos como lo que eran: *carallats y carallots*.

En fin, una cara que expresa *sentiments i centimets*.

Bibi Fernández
(antes Andersen)

Por una vez, y sin que sirva de precedente, ocupa este suntuoso señor el lugar destinado habitualmente a una señora. Palpables méritos no le faltan, y casi andróginos: el sexo, es público y notorio, está en su sitio.

Nos hallamos ante una formidable anatomía recompuesta que no parece recompuesta, como no lo parecen algunas catedrales y algunas monarquías. Porque se la ve de lo más natural, fresca y espontánea. Guapa sin truco, con su espléndida cabellera rubia, los ojos hermosos, los pómulos exultantes y la boca grande y fragante sonriendo ampliamente. Nos mira con franqueza, sin el menor recelo: yo soy la que ves. Una belleza lustrosa y glamourosa, un rostro hollywoodense, a lo *star* años cuarenta. Desde cualquier lado que se la mire, y se aconseja la posición frontal, sobre altos tacones, se trata de una hembra alta y espectacular, de largas y retóricas caderas, sugestivos andares y convincente gesticulación. Toda una mujer.

Así las cosas, la naturaleza de su sexo pertenece al mundo de la fantasía. El personaje es un suculento y ornamental desmentido de ese lugar común según el cual existe la atracción del *sexo contrario*, además del propio. Porque resulta que lo que hay en *ella* de más seductor y atrayente, de más genuinamente femenino, al cabo no es otra cosa que una sutil fantasmagoría. Un *trompe-l'oeil* sexual. Esta mujer es el espectro de una mujer fascinante. En algún momento las manos y los pies pueden parecer demasiado grandes, excesivo el nervudo vigor de las muñecas, la amplitud de los hombros. Detalles nimios que no empañan la perfecta, la inteligente, la alegre feminidad.

He aquí el triunfo de un sueño sobre la musculosa y trabada realidad de un cuerpo. Más vocacionalmente mujer que algunas auténticas féminas que andan por ahí llevando el sexo como una letra de cambio, como una Mobylette o como un capazo.

Lluís Llach

Hay voces que tienen la cara que se merecen. Cara de seminarista, voz de confesionario.

Distingue esta figura un trascendentalismo vocal y sonso falsamente desmadejado, una humildad frailuna. Una figura no muy alta, cargada de hombros y de ínfulas malherianas, pero con un aire *casolà*, el atuendo sencillo y cómodo, la frente abombada de músico aplicado, la boca grande, los párpados untuosos de canónigo o vicetiple exitosa. Se mueve silenciosamente, como una gata preñada, y habla susurrando trémulos bemoles. Técnicamente hablando, la combinación rasgos faciales-voz trémula que se da en este señor es quizá lo más congruente de la *nova cançó*: todo se configura armoniosamente para una especie de orgasmo sinfónico-poético-catalanufo con gran orquesta y coros. Su estilo, tanto físico como verbal, es engolado, eclesiástico, pretencioso y pelma, pegajoso y lacrimoso.

Considerada en sí misma como una de las formas de aburrimiento intelectual más típicamente catalanas que se conocen —junto con las novelas de Baltasar Porcel, los discursos de Jordi Pujol y los programas de

TVE desde Sant Cugat—, es una voz de beata capaz de matar de aburrimiento al más pintado. Suena un tembleque de sacristía en la garganta, una solemne idea de sí mismo. Tiene, a ratos, una sonrisa pícara no desprovista de encanto.

El estilo cabra de su arte revela una falta de pudor y un desmadre emocional que supera al de cualquier cantante de boleros de los de antes. Siempre, al atacar ciertas estrofas, le da el tembleque y precisamente ahí es donde más le aplauden. Misterios del vibrato y del nacionalismo ampurdanés. En realidad, este señor no es otra cosa que la versión sacralizada y aburrida de *José Luis y su guitarra*, aquel cantante melódico de los sesenta conocido también como la *Vaca Romántica*, debido al peculiar tembleque de su voz y a su peculiar estilo bovino. Mmmmuuuuuu.

Sara Montiel

Somos absolutamente estúpidos al embarcarnos en un oficio —dijo Cary Grant en cierta ocasión— en el que nuestra cara se relaciona con nuestros méritos. En el mejor de los casos, el patriotismo no es otra cosa que una fatalidad geográfica. Son dos ideas que aparentemente no tienen nada que ver con la señora que hoy nos ocupa, pero quién sabe.

De todas formas, estamos ante una anatomía que ha estado siempre por encima de sus méritos artísticos. Siempre los ojos y la boca han expresado más sensualidad que su voz engolada y *artística* y que sus torpes artimañas de canzonetista o de actriz. Incluso en Hollywood se limitó simplemente a ser una mujer bonita y a poner muy convincentemente, eso sí, la boca en forma de *o*. No existe en el cine nacional ni en la canción española ningún rostro que haya sido más idolatrado por los focos y los *fans* y que haya expresado menos vida y menos verdad; ningún cuerpo serrano que haya sido más desnudado mentalmente y que haya sido más parco y sonso en sus movimientos y más torpe y perezoso y trivial en sus bailes, en su fuego interior o simple contoneo: ella es, en realidad, una superestrella lenta y solemne, de pasarela, envarada y no muy alta, de lento parpadeo y mejillas autochupadas, tobillos de gacela y muslos prepotentes; excitante el lado izquierdo de la cara, trivial el derecho —o al revés.

Se trata de un fenómeno artístico notable y en cierto modo asombroso: una guapa actriz que nunca supo interpretar y que entusiasma a miles de *fans*; que nunca supo cantar y cuyas canciones son poco menos que objeto de culto religioso; que nunca supo bailar y son legión los que besan el suelo que pisa. Nadie menos pertrechado para el estrellato ha derramado tanta luz. En todas sus tontas películas emerge su rostro chupón ligeramente de lado, como un mascarón de proa mirándose disimuladamente en un espejo: guapa y reguapa, elegante, amueblada más que vestida, dándose aires siempre, dándose ánimos. La boquita pinturera ha sido en ella lo más expresivo, los pómulos grandes y los hombros cargados de noche y pieles y besos. También el talle corto, el busto grávido y las generosas rodillas, preferiblemente quietas.

No es alta ni rubia ni misteriosa, pero se ha comportado siempre como si lo fuera.

Fernando Arrabal

La más estúpida de todas las vanidades del intelectual, la de cultivar su imagen pública a costa de lo que sea, alcanza en este señor insuperables cotas de sutil eficiencia. Con algo de hombrecillo de los bosques, pero nada retozón ni divertido, es un antiguo en el sentido más paliza del vocablo. Y no porque se empeñe en hacernos creer que se le aparece la Virgen María —que le creemos, que sí—, sino porque no sabe hablar de otra cosa que de sí mismo, pendiente de si las autoridades políticas socialistas y la burocracia cultural, que él califica de nazi, tienen en cuenta su importancia teatral y poética. Que la tiene, que sí.

Posee el dramaturgo ajedrecista una notable cabeza de farmacéutico decimonónico, algo así como el anuncio de las pastillas del doctor Romeu, buenas para la tos. Es también una testa que pide a gritos el laurel de la gloria literaria, el mármol o el granito y las cagadas de paloma. Egocéntrico, simbólico, petulante, ampuloso y chirriante. Sus pánicas ideas están armadas con el campanudo material de la hojalata. La hojalata, es bien sabido, reclama del sufrido oído humano una atención excesiva y el asunto acaba en una irritante pérdida de tiempo. La nariz es pequeña y la barba florida. Alguna vez el altisonante genio ha evocado su huida del país, en vez de quedarse cobardemente como hicieron otros, y su lucha antifranquista, en el exilio, lamentando que hoy no se le reconozcan sus méritos. Pero todo se andará. Mientras tanto, sintiéndose todavía lejos de estar anonadado, presume de haber alcanzado el estado de perplejidad.

Vestido siempre pulcramente, se trata de un moralista disfrazado de literato, cuya máxima aspiración es dejarnos boquiabiertos con sus declaraciones. Consignemos sus calculadas rabietas, su originalidad circense y su patética protesta por haber estado en cierta ocasión en Argentina sin que ninguna autoridad cultural española se diera por enterada. Curiosa reclamación viniendo de un ácrata parisino y pánico. Había pocos figurones en este teatrero país y parió la abuela.

Felipe González

Con el paso de los años, el apocamiento se apodera de las caras. No se trata de envejecimiento, y menos en los políticos. Mucho antes de que se altere el diseño facial, el óvalo y el relieve del rostro, las líneas y la textura que conforman el volumen singular, la peculiar imagen de uno mismo, lo que ha cambiado es la expresión; el *aire* de la persona ya no es el que era. No es que la nariz, o el mentón, o los ojos ya no sean los mismos, no es que se hayan encogido o dilatado, agriado o dulcificado, iluminado o ensombrecido, sino que los rasgos empiezan a comportarse de *otra manera*, expresan *otra cosa*: se asoma a ellos otra sensibilidad, otra querencia, otro compromiso con nosotros mismos y con nuestros semejantes.

Eran de suponer esas bolsas de fatiga bajo los ojos y esas sienes elegantemente plateadas; era de esperar esa boca musculosa y sensual, prepotente y triunfalista. Pero esa fatiga y esa plata y ese triunfo no son lo que prometían ser. Precediendo al natural deterioro que impone el paso del tiempo, en la fisonomía se instalan otras emociones y sentimientos, otras preocupaciones y otros fines, y los rasgos, recompuestos desde dentro, a veces con carácter urgente, expresan no solamente otra sensualidad, sino también, en muchos casos, otra moralidad.

Nada tienen que ver en este trágico proceso los llamados asesores de imagen, esos papanatas del artilugio audiovisual, cómplices de la moderna ignominia. No. En defensa de esta fisonomía hay que decir que hay también un apocamiento nacional paralelo al suyo —en el que parece decirse, perplejo y un tanto irritado, lo que ya se dijo a sí mismo en cierta ocasión: «A veces no entiendo que no me entiendan.»

Una fisonomía todavía juvenil y admirablemente reflexiva, engalanada de convincente estrategia verbal como el lejano día de su feliz botadura en alguna célula secreta del partido, cuando partió al frente de tantas ilusiones con la enseña de la revancha y de la justicia en lo alto del mástil. Una fisonomía varada.

Esta cara no es criticable por lo que el tiempo hace con ella, sino más bien por lo que no hace, no puede hacer o no sabe.

Jon Idígoras

Hoy traemos aquí la imagen del cinismo. «La autocrítica de ETA Militar demuestra la madurez política y la honestidad de esta organización, que en esta situación tan grave ha tenido la honradez política de reconocer que ha cometido un error y pedir disculpas.»

Por una vez hemos dejado que sean las palabras del propio retratado las que empiecen retratándole a él. ¿Madurez política y honestidad viajando en coches bomba contra la población civil? Hoy traemos aquí la imagen de la desvergüenza.

Desvergonzadas palabras con mucho bigote y doble juego, y que fueron pronunciadas, como todo el mundo sabe, durante una conferencia de prensa de Herri Batasuna tras el criminal atentado de ETA en el *hiper* de Barcelona. Así, de esta demencial e irresponsable manera, este señor nos invita a admirar y aplaudir la honradez y madurez de una pesadilla de locos sanguinarios. Pero sigamos con sus palabras: «Ya sabemos —añadió el sagaz dirigente con la voz polvorienta— que el coche bomba no lo puso la policía ni la empresa, pero sí hay una corresponsabilidad compartida por ambos.» Podía haber añadido que el error y la culpa fueron también de los que esa tarde y a esa hora tuvieron la idea de acudir al *hiper* a comprar.

Y su aspecto no es más atrayente que sus palabras. Rasgos tumultuosos y atropellados, un tanto guiñolescos, cara larga y agria y elástica, luengos bigotes y mandíbula prominente, narizota constipada e insensible, ojos de pájaro desvelado y maniático, todo se configura en semejante fisonomía para armar la jeta torva, aguerrida y chirriante de quien no parece respetar el dolor ajeno. El oficio de portavoz le pone en camino de la congestión facial, de un súbito atragantamiento con explicaciones y justificaciones inmorales, como si la sinrazón y la pólvora se aturullaran en su garganta.

La ceguera política, el histrionismo frente a la prensa, la insensibilidad social y la desfachatez estratégica de partido encuentran en este señor su monigote perfecto, su expresión más actual y siniestra.

Plácido Domingo

Tiene cara de mecánico o de fontanero con muchas ganas de trabajar y de quedar bien con el cliente; un *manitas* de esos que al ser requeridos para una reparación doméstica dicen frotándose las manos: «Yo esto se lo arreglo en un periquete, señora.»

Cara de saber hacer lo que hace y muchas cosas más, que no hace por no abusar. Un señor de buena planta, moreno, un tanto ajamonado, barba cerrada, nariz patatera y boca pequeña, mojigata.

Una cara jovial y tabernaria con tendencia a aplatanarse, o más exactamente a atomatarse. Barbilla tríptica y azulosa, cejas bien pobladas, pelo plebeyo. El personaje es recio y melodioso, zarzuelero, de resonantes facciones, de reiterada presencia y de altísima y prepotente voz. Sus maneras son afables y cortesanas, casi versallescas ante una dama, su fotogenia es campanuda y luce bien la capa española, y todo él es, francamente, un poco paliza. Uno de los tres terrores.

Posee el don de la ubicuidad; está en todas partes, con o sin la portentosa voz, y uno se lo encuentra hasta en la sopa. Va a por todas y está en todo, y hace lo que sea por estar donde sea y como sea.

Transpira fuerza, extraversión y vitalidad, pero es una cara que tiene, incluso cuando luce los soberbios afeites de los personajes operísticos o zarzueleros más espectaculares, rasgos de estar por casa, de gustarle mucho el cocido de garbanzos y ponerse las zapatillas y hasta de saber reparar la *tele*.

La voz, en cambio, no es de estar por casa, ni mucho menos, cantando mientras uno se afeita un plácido domingo —o un maldito lunes, que dice Coll— por la mañana. Calificada de portentosa por la *prensa del corazón*, se trata en efecto de una voz carnosa, empinada y risueña, escenográfica y plástica: una voz que se ve, que se toca, como cierta comida de perros. Una voz extraordinaria.

Volviendo a la cara, ciertamente se advierten demasiadas cosas en ella, y también demasiado ruido. Una cara que está calentando motores. En términos generales, podría hablarse de una encarnadura motorizada, de potente arranque, diversas velocidades y frenada segura. Es notable, como ya se ha dicho, la trinitaria prepotencia maxilar que anuncia el do de pecho. Como tenor nacido en Madrid, no está mal. Tener o no tenor, *that is the question*.

María del Mar Bonet

Cuando uno la ha tenido cerca, hace unos años, ha pensado confusamente: he aquí una pálida muchacha de grandes ojos negros, de maduras caderas y cejas como jirones de noche, pesadas y enlutadas, de una densidad deliciosamente obscena. Cuando ya se ha ido, uno piensa no menos confusamente: era una intensa muchacha de deliciosa palidez obscena, grávidos pechos negros y muslos de nieve.

En cualquiera de las dos imágenes, en su misma confusión, persisten dos elementos importantes: el luto y la nieve. Crespones negros y nardos marfileños.

La voz de plata delgada, ensimismada y un poco adormidera. Persiste, sin embargo, el formidable olor a hembra. La línea del mentón es un poco dura, los hombros generosos y las caderas confortables y amigas, de las que hacen compañía. El pelo es intensamente negro, la boca gruesa y atractiva y en ella se remansa un sueño infantil, el pasmo del despertar, quizás un paisaje de la niñez. Alrededor de los hombros aceitunados, el mar rumía espumas estivales.

Se trata de un cuerpo cálido, suave, modelado por la penumbra y de algún modo amarrado a la noche.

Una trama de luz y tiniebla. Y algo en la agreste fuerza de este cuerpo sentado junto al balcón, vuelto hacia la luz, algo en los pies descalzos, sugiere una juvenil contraseña de valor y libertad, una señal solidaria lanzada al viento y devuelta por él.

Vista ahora a través del tiempo, cuando ya hace algunos años que pasó tan cerca, la pálida cara orlada de luto me muestra siempre la misma modestia de ojos bajos sin que yo nunca los viera bajos, al contrario: como carbones vivos; y también la misma serena tristeza bajo las cejas oscuras que un día florecieron tan rotunda y densamente, aunque ahora pienso que tal vez esta expresión no se debía a la tristeza, sino a la concentración habitual de la juventud.

José María Ruiz-Mateos

Un señor cómico, de mucha risa. Una cara con mucha calderilla, plagada de tics, de guiños, de muecas. Una cara como un semáforo. Emite señales a la otra orilla del dinero, a la otra acera de la pobreza. Un tipo listo. Su talante es populachero y dicharachero, demagógico y cutre.

Alardea de un patriotismo campanudo, sospechoso de mantilla y peineta y talonario, de una religiosidad de estampita y besamanos, de una boquita rezadora y de una autosuficiencia facial perteneciente a la variedad que podríamos llamar comulgante-financiera presuntamente arruinada que pide una ayudita al contribuyente para salvar sus jacas jerezanas y sus bodegas. Españolismo y carcundia.

La cara de un hombre al que seguramente ya se le ha aparecido la Virgen, cuellicorto, pasmado, vestido decentemente. El encogimiento sugiere frecuentes genuflexiones y una secreta afición a coleccionar estampitas de la Pilarica. Ese gesto modoso no remite a ninguna elite del dinero, no asoma el menor lujo a esta faz, el señor no parece un empresario adinerado, sino un presidente de club de fútbol de tercera regional. Lo que se asoma al rostro es cierto desorden mental y ganas de anatematizar.

¿Por qué arruga la nariz? ¿Se dispone a estornudar? ¿Capta un olor corrupto? Probablemente se trata de una estrategia mímica estilo monseñor Escrivá para confundir a Miguel Boyer, su eterno enemigo. Tiene la cara inflada, los ojitos juntos, las orejas pequeñas y tiesas, la boca monjil y la nariz sin carácter, con dos pliegues que se desprenden para engarzar las comisuras de la boca con rabiosa eficacia. No es, ciertamente, un señor que transmita credibilidad, a juzgar por el nudo de la corbata. Sus manifestaciones proclamándose «un hombre que ha trabajado como una bestia, católico, amante de la Iglesia, del Papa, de la Virgen y defensor de la familia» debían haberle llevado en volandas al foro europeo, aunque sólo fuera por su gracejería. La expropiación de Rumasa, ha dicho, va a costar a los españoles un billón de pesetas, billón con b de burro, con b de Boyer.

De risa.

Josep Lluís Núñez

Si es cierto que el Barça es algo más que un club, habrá que convenir que esta cara es algo más que una triste patata hervida. La semejanza con el sabroso tubérculo no es superficial ni gratuita. De hecho, ese rostro harinoso, lo mismo que ese *algo más* del club millonario, es la culminación de un largo proceso químico de ardores y féculas y regadíos nacionalistas, mezclados con la competitividad extradeportiva y los aborregados sueños de los estadios. Miles y miles de patatas de las llamadas de *buffet* vociferando en las gradas, hervidas con piel y todo.

El señor está casi siempre con la boca abierta, pero eso no quiere decir que esté hablando o que se disponga a hacerlo. Simplemente, se le acaba de ocurrir algo y considera la posibilidad de decirlo sin riesgo de que suene a tontería y encima le cueste dinero y prestigio al club. Normalmente es un señor bajito y parpadeante, con ademanes de curita —características que le asemejan a otro famoso *president* de *algo más* que una autonomía— y que nos mira de frente intentando comprender lo que ve sin conseguirlo de inmediato. Pero se fija mucho.

Tiene aspecto del segundo ayudante del secretario del gerente de un hotel en Zaragoza. Y de irle el negocio regular, tirando a mal. Pero su gesto alertado revela eficiencia y rapidez, atropellándose un poco con las palabras, siempre a la defensiva, la voz plañidera. Tiene la mirada triste, la nariz ancha, el pelo escaso y el ceño arrugado. Hay algo calcinado en la fisonomía, y una cierta bondad en suspenso, una cualidad infantil, un tanto encogida y magullada, propensa al sufrimiento. Incluso cuando sonríe, la cara es compungida, astriñente. Cargado de hombros y de puñetas, parece a menudo a punto de llorar, preparado para recibir una mala noticia (Maradona se fue, Schuster no me quiere, Ronaldo se me escapa, el Madrid puede ganar la liga, Cruyff se me querella y yo me estoy quedando calvo).

Hay caras chicas y caras que se achican. Con el Nou Camp a sus espaldas, el personaje se integra a una idea vociferante de grandiosidad patriotera con muchos trofeos y ondear de banderas azulgranas, pero él sigue con su cara de patata triste, trabajador y prudente, algo tímido y propenso a los resfriados nasales.

Fernando Fernán Gómez

Es un señor zanquilargo y narizotas, de voz campanuda y pelirrojo. Tiene pinta de payaso eminente, nórdico y genial momentos antes de maquillarse para la función. Lo mismo que los payasos, visto de espaldas parece un científico despistado que se ha puesto una americana que no es la suya. Tiene una mirada incisiva, la frente despejada y prominente, la boca grande y dinámica y las cejas hirsutas. Es una cara importante por sus excesos, su amistoso color zanahoria y su textura, con esa cualidad mórbida de la patata pelada, de la verdad cruda. El gesto puede parecer adusto cuando sólo es directo y llano, las orejas son artesonadas y el talante de primer orden.

Posee muchísimo más de tres dedos de frente, sin que eso tenga nada que ver con la calvicie. Un estupor precavido y sabio, ese leve estupor que nace del simple hecho de vivir, se instala a menudo en el rostro y se descuelga abruptamente por las mejillas largas y vivaces y por la discreta papada con vocación colérica y respondona. Pero la mente que domina esta faz es clásica, y el civismo y la sensibilidad más sutil cohabitan en toda la variada gama de expresiones, incluida la del oculto payaso.

El dinamismo de la boca es notable. Se puede fruncir como enrabiada y, al mismo tiempo, articular amabilísimas palabras o historias divertidas. Es una boca que parece engatillada, presta a disparar contra sandios y mentecatos y figurones, una boca cavernosa y afable de gran conversador y de fumador convicto y confeso, dotada para soltar las palabras con causticidad, ronquera y humo. La llamada vis cómica del personaje no es otra cosa que un exceso de amabilidad, un deseo de comprendernos. A partir de los cuarenta años, todo el mundo es responsable de su cara, dijo Pavese. Ésta es la cara de un actor, es decir, de un simulador y, por tanto, dotada de una expresividad que se descompone y recompone constantemente, lo mismo que los sentimientos. Decía T. S. Eliot que hay épocas en la vida que uno siente que se ha caído a pedazos y, a la vez, se ve a sí mismo en mitad de la carretera, estudiando las piezas sueltas y preguntándose si será capaz de montarlas todas otra vez, y qué especie de artefacto saldrá. Pues bien, esta cara tiene algo de artefacto que acaba de ser montado y funciona inteligentemente, con sensibilidad y talento artísticos, con sentido del humor, y también con cierta velada tristeza.

Carmen Maura

Las malas actrices tienen mil caras y una sola expresión; las buenas, una sola cara y mil expresiones. No hace falta decir que la señora que hoy nos ocupa pertenece al segundo grupo: la cara es la misma en todas las películas, pero la *personalidad* que se asoma a ella siempre es otra.

La boca musculosa y risueña, el mentón sólido, la nariz recta, los ojos oscuros y burlones, las cejas espesas. El diseño de la cara no es dulce, y, sin embargo, la expresión lo es. Resabios de un temperamento reflexivo y burlón configuran el gesto y la mirada. El cuerpo no parece haber pretendido nunca ser especialmente memorable, y por regla general, ha sugerido más que mostrado; de este modo ha conseguido dar más de lo que tiene. En la rústica encrucijada del cine español, tradicionalmente poblado de fantasmas todavía con boina y aperos de labranza, esta señora se mueve, mira, besa, anda o se está quieta con un sentido del ritmo y del espacio cinematográfico distinto por completo al de sus colegas. La naturalidad es su característica más notable, esa capacidad de la buena actriz para hacer creíble el personaje más improbable. En sus películas más arrebatadas y cromáticas sabe cruzar las rodillas de un modo paródico-posmoderno, y sabe murmurar disparates pasionales en un tono sosegadamente familiar y cotidiano: su dicción es siempre natural y convincente, sabe decir, por ejemplo, el texto desgarrado de un tango como si contara calderilla.

No es pelirroja, pero se comporta como si lo fuera. El vigor de la barbilla, no exenta de dulzura, potencia los labios bien dibujados, pulposos. Sus pómulos deberían lucir pecas. Algo agitanada, dicharachera, afanosa ex ama de casa desencantada y liberada que empieza a mirar con recelosa ironía los ardores de la juventud. Los ojos grandes y amistosos dominan el conjunto, hay en ellos una expansión cordial, una dilatación de la vida.

El resto pertenece al celuloide y es altamente inflamable. Constatemos finalmente que en esta figura habitan también el bolero de amor y el satín negro, la nalga emputecida, la liga y el clavel.

Rocío Jurado

La anatomía de las folclóricas, las de tronío, las de rompe y rasga y fuego en las entrañas, es un misterio de dolor en la noche perfumada de la España eterna. El tópico configura la pechuga abundante y morena, la cintura recia, el brazo rollizo —con la correspondiente luna roja de la vacuna—, la nariz ganchuda, la frente deprimida, las cejas de Dolorosa y el entrecejo terrible. Sin embargo, hay excepciones o, mejor dicho, versiones más discotequeras y modernas, más sinfónicas. Una de ellas es la señora folclórica que hoy nos ocupa.

Real hembra de la tonadilla patria, así fue definida en los papeles. Es una señora alta y muy puesta, de cara ancha, nariz afilada, boca delgada y cabellera leonina, espectacular. No es la morenaza de la copla, no cultiva la imagen de la folclórica/terremoto, remangada y loca, al estilo de la Faraona: ni bata de cola, ni peineta, ni navaja en la liga, ni desgarro gitano.

El desgarro sentimental de esta robusta tonadillera es más señorón. Ella es una reinona de otra estirpe, más *modelna*, más fina y, en consecuencia, más hortera. En realidad, una flamenca cuadrada como un armario, vestida por Balenciaga y peinada por Llongueras, presuntamente elegante y *sexy*, envuelta en tules y sedas desde que en 1974 hiciera famoso un atrevido vestido verde manzana a través de la televisión. A ese corpachón serrano de grandes pectorales le va la pedrería, el oro y la bisutería; pendientes, sortijas, pulseras, relojes, nomeolvides y collares, habitualmente la señora es un escaparate centelleante. En cambio, mantiene con la castañuela y la guitarra una relación distante y sofisticada, la misma relación que la voz de la Caballé podría mantener con un tambor.

Señora ampulosa y pulimentada, refinada y echada *palante*, posee una voz cantarina y efectista, teatrera y tramposona, quebrada y astillada, al servicio de unas canciones melodramáticas de tremendos estribillos. Como si representara zarzuelas, hace temblar la escenografía. Pese al refinamiento y la pedrería, transpira un erotismo de brocha gorda muy propio en tertulias de Centro de Ganaderos y Propietarios, pongamos por caso.

Alfonso Guerra

No sé si tiene cuarenta años, pero ya es plenamente responsable de su cara. Con aire displicente, mientras se abrocha la americana tuerce la cabeza y se arma de paciencia y su poquito de chulería, como diciendo: ¿terminarán ustedes de decir gilipolleces? A la oposición, por supuesto. Como ciertas hierbas que no conviene arrancar del frondoso jardín de la democracia, su contacto produce algún escozor, pero no es dañino. En todo caso, al que le pique, que se rasque.

Es un señor delgado y sarcástico con sonrisa de cocodrilo. Tiene el pecho hundido, los hombros escépticos, la lengua viperina y salerosa y los ojos fríos y alertados. Luce nariz partida de púgil y boca bien dibujada, burlona y respondona. Es una boca de parlamentario socarrón y dicharachero, de esos que incluso cuando ya han gastado su turno de réplica no paran de gesticular desde su escaño, confundiendo e irritando a la oposición. Su verbo y su figura están impregnados de una cualidad escurridiza, pero no rehúye el enfrentamiento ni el intercambio de golpes bajos. Gasta gracejo, retranca y retruécano, y dilatadas pupilas de alumno aplicado, de primero de clase, y ese indefinible cemento en la cara, esa incombustible cara de póquer. Por la forma en que nos mira, de arriba abajo y con fijeza, hay algo draculino y noctámbulo en esta figura, una pretensión vampírica. Las manos son lentas y posesivas y la elegancia apañadita, sospechosa, desclasada: una flema social que no le corresponde, impostada, escenográfica.

Señor de orejas intuitivas y rápido en desenfundar, socarrón, bocazas y pesticida, martillo de franquistas y otras orugas, compone desplantes como los toreros y finge un empaque facial sospechoso de pitorreo: todo parece en esta cara a punto de reventar de risa.

El comportamiento de una cara salerosa instalada en el poder es imprevisible. Es una jeta de jugador de ajedrez, de cónsul honorario, de secretario del Betis, de espía marroquí, de farmacéutico ilustrado, de espadachín portugués y de ex cura. En cualquier caso, el esqueleto de la risa se retuerce dentro de él.

Jesús Gil y Gil

En la concurrida y ruidosa galería de altos figurones y dirigentes del balompié nacional cuelgan caras parlanchinas y analfabetas, caras simplemente ornamentales, señoronas y repeinadas, y caras decididamente peligrosas. Por lo general, son caras de diseño vagamente empresarial, industrialmente solventes, rudas y francas, jetas de batracio emprendedor con puro habano triturado entre dientes, señores pechugones y pisafuerte, ganaremos por cojones, somos los mejores, que nos quiten lo bailado.

Este señor tiene el apellido repetido, y eso siempre es un peligro. ¿En qué sentido? Tal vez se debe al gran trasiego verbal y mímico que ha exhibido promocionando a su club —en realidad, promocionándose él, sus dos apellidos—. Se nota a simple vista que es una cara peligrosa, tenaz, gimnástica, con una capacidad de reacción capaz de imponerse por goleada y un repertorio gesticulante más que notable. Es la típica cara/paliza cuya loca flexibilidad anticipa lo que va a decir, poseída por ese imparable dinamismo muscular, esa prepotencia y esa carnosidad guiñolesca y retórica que suele animar a los forofos domingueros.

Los rasgos que la componen, vistos por separado, no son dignos de especial atención. Tiene la lengua larga, especialmente dotada para enrollarse, la boca como la raja de una hucha, alegre y paródica, la nariz larga, el pelo escaso y las mejillas derramadas. Las habilidades de esta cara son infinitas y saltan a la vista. Los ojos parecen ligeramente estrábicos, loquillos y pajariles, desvalidos, ojitos de hombre de empresa que se ha hecho a sí mismo. Dicen que tenía diecisiete años cuando ganó sus primeras 160.000 pesetas, y que ese día durmió sobre los billetes esparcidos en su cama de la pensión madrileña donde malvivía. Parece que esas efusiones monetario-sentimentales son muy propias del corazón aventurero y audaz de los dirigentes futboleros.

El observador imparcial acude a esta cara con la vana pretensión de ver en ella algún reflejo noble de un noble deporte; no se percibe más que personalismo y mediocridad, y algo de esa extraña materia intocable, viscosa y zafia, que constituye la materia prima de un dirigente.

Marta Ferrusola

Después de meditar profundamente sobre el asunto, previo un detenido examen de la señora, su comportamiento social y sus costumbres, sus peinados y sus flores, la bienpensante sociedad catalana afectada por el famoso virus CiU constató en su día la realidad y emitió su veredicto por aclamación: *Això és una dona*. O sea, esto es una mujer, en traducción literal. *Ezto é una mué*, en charnego estricto de Cornellá.

Una constatación asombrosa, se la mire por donde se la mire. Tan obvia, y por otra parte tan vehemente, tan clamorosa, urgente y reiteradamente expresada por toda una multitud enardecida y abanderada, que surge la duda de si la aclamada señora podía haber sido otra cosa en esta vida, una silla tal vez, una porcelana, una alcachofa (una alcachofa catalana, por supuesto). Pero no. Es una mujer. ¡Qué vista tienen esos catalanufos de CiU!

Así pues, observemos de cerca a esta *dona* refrendada por el fervor popular y constatemos desapasionadamente que, en efecto, posee los atributos propios de la especie; tiene el pelo largo y recogido en la nuca pulcramente, las orejas grandes, la nariz puntiaguda, la boca delgada y medio sonriente, condescendiente y resabiada, los ojos inteligentes y vivaces —ahora amodorrados, pero atentos—, las gafas fríamente armadas y la frente alta, casi arrogante. El mentón apoyado en la mano, colgada en el aire la mirada, parece reflexionar sobre su propia naturaleza, preguntarse qué habría podido ser de no ser *dona* aclamada. ¿Una vibrante y bonita sardana? ¿Una flor que medita su alto destino en la solapa presidencial? ¿Un voraz doblador de TV3? ¿Uno de los patrióticos consumidores de la última paella gigante del Pepitu, *recordman* de interminables butifarras y tonterías? Son supuestos disparates, pero es que el maléfico virus de CiU, como ya constató el director Boadella, tiene esa particularidad: ataca a sus adictos directamente al cerebro y provocando, en fase terminal, una horrible confusión de sexos y banderas, de barretinas y talonarios, de Morenetas y pesetas, de *sentiments i centimets*. En esta fase terminal es cuando los afectados balbucean oraciones extrañas tales como: *Som 6 milions, Madrid ens vol fotre, Anem per feina, Som els millors*.

En cualquier caso, se trata de una fisonomía activa, una cara emprendedora que peca de un exceso de orden, de patufetisme y de repostería casera.

Ana Obregón

Algo inestable se mueve en esta cara. Parece el reflejo ondulante de un agua, de un espejo. Aquello que, estando uno borracho, ve en otras mujeres, lo ve en esta chica estando sereno. Late su cuello, brincan sus mejillas. Pero la figura posee un atractivo compacto, irrelevante. Lo tiene todo y no tiene nada. Toda ella luce un poco demasiado acartonada, encorsetada y empaquetada. Gasta mejillas saludables y ocasionalmente hoyuelos en los que rebrinca la alegría profesional, la simpleza, el embuste ingenuo y el desorden mental. Incongruentemente, es una cara de muchas luces.

Sus ojos emiten chispas de no sabemos qué urgencias. El pelo, artísticamente suelto, revela una rebeldía juvenil estudiada, un salvajismo de plató fotográfico, y la señorita se estira, parece querer ser más alta y más exuberante de lo que es. Tiene una boca simpática y afanosa, de la que brotan tontas palabras de cristal, una voz y una entonación pelmas y una risa loca demasiado puntual. Tiene los ojos bonitos, la nariz incitante, el aire travieso y la mirada cómplice, además de cierta alocada precisión gestual aprendida y cultivada en el estudio fotográfico y en los salones de la *jet*. Famosas *pedorras* marbellíes y niños-bien marchosos y discotequeros la rodean. Diríamos, sin ánimo de guasa, que sueña en vivir como un torbellino y se comporta como una actriz internacional, fascinante, solicitada y muy activa. Pero el encanto se desvanece en cuanto la señorita empieza a hablar: doña Proyectos Inmediatos se va a Hollywood, Los Ángeles (California), a rodar una película maravillosa con estrellas fulgurantes y con un fabuloso contrato en exclusiva por cinco años. Mientras tanto, podemos contemplarla en el *spot* de los azulejos derrochando alegría con la pierna al aire.

Pero es animosa, entusiasta de sí misma, pródiga en escotes, axilas y rodillas. Sus pechos anuncian una catástrofe neurovegetativa. En sus pupilas hay una noche tropical; en sus muslos, una estridencia lechosa y esquelética; en su trasero, un gato furioso... En fin, a veces las ideas no alejan de los hechos sin llevarnos forzosamente a su comprensión.

Fernando Vizcaíno Casas

Hay caras que velan sobre nuestras heridas impidiendo que cicatricen.

Por si uno no sufriera bastantes pesadillas, hoy viene esta cara y me atosiga con su acartonado perfil franquista, su robusta nariz joseantoniana y su bigote nacional-sindicalista. El susto ha sido de órdago, y a ver ahora cómo arreglamos esto. Se trata de un señor de mirada chunga y tortugona, bajo y cuellicorto, que parece mal afeitado, pero que no lo está. Tiene la voz grasienta, aceitosa y tabernaria de los subcomisarios, como si hablara mientras come sardinas. Las orejas y la nariz son grandes, se peina con remilgos, la boca comprime su coquetería y el pelo y las patillas también. El supuesto atractivo de este modelo de señor (modelo marrón y gris, bajito y galanteador diseñado en el año 39, a raíz de la Victoria, con bigote y patillas y fijapelo incluidos) es de otro tiempo y otra historia, un modelo refinado pero técnicamente inútil, como el reloj de arena, como el reloj de sol. El bigote recortado, plomizo y taciturno y el sobrante agrisado de las mejillas le prestan un aire polvoriento y tabacoso de subsecretario de abastos, o de guardia civil a la antigua usanza.

Es una faz pastosa que se quiere galana y que se graduó en los fastos más plúmbeos del Régimen y en los excesos de la nostalgia más azul. Hay cierta dignidad nocturna en las bolsas bajo los ojos, y en la mirada anida una sombra alicaída, tal vez irónica. Pero la cara es un aturullado revival de Franconstein. Hay cierto pavoneo en este carrasposo señor, un ritmo de pasodoble, algo que guarda fidelidad a una oscura materia castrense y levantisca, a una estética altanera y militaroide —caballerosa con las damas, por supuesto—, pero, dejando de lado alucinaciones y furias apagadas, la verdad es que estas facciones, consideradas como algo estrictamente formal, carecen totalmente de interés, de morbo y de actualidad. Mirando este perfil debería yo curarme en el acto y para siempre de toda veleidad retórica o metafórica, de cualquier deseo de percibir lo *insondable* de unos ojos, una nariz o unos pómulos. Con los años, el carácter se diluye y una parodia grotesca de ese carácter se petrifica en la cara. Nos pasa a todos.

Fernando Savater

Esa manera de levantar la cabeza y escuchar al oponente como apremiándole a que termine de decir sandeces, según ha señalado algún picajoso observador, no debe interpretarse como un gesto jactancioso, sino como algo decididamente más sustancial y demoníaco, algo que yo calificaría de nostalgia filibustera. Podría tratarse de una forma avispada de prestar atención y al mismo tiempo reclamarla, a la manera del torero citando al toro, pero lo más probable es que obedezca a alguna forma de equilibrio interior e incluso exterior; nunca resultó fácil, ni siquiera para un corsario disfrazado de filósofo, mantenerse erguido en la peligrosa cubierta de la *Hispaniola*. Alrededor de la alertada cabeza y de la barba emblemática flota el perfume de la aventura marinera.

Tras la apariencia frágil y académica de las gafas, que suplantan inexplicablemente la metafísica audaz del parche negro en el ojo, mucho más acorde con el personaje, los carbones de las pupilas bizquean con una trama negra del siglo XVIII, un cruce de espadas en una escenografía facial operística.

Porque algo habría de cartón piedra en esa cara,

ciertamente, de no ser por su extraño dinamismo, sus efluvios carboníferos de bucanero. Las cejas viven altas, suspendidas en una frente escéptica que conforma una cabeza silvestre, desafectada y fría. La compacta barba enmascara lo más enhiesto y engallado del rostro, el mentón, con cierta voluntad centrífuga de remolino y un diseño estricto y severo de farmacéutico decimonónico. El dinamismo de la boca, de labios dilatados y refinados, puede llegar a ser espectacular.

Más que mirar las cosas, parece olfatearlas. En su voz rasposa y apresurada, empujada por el entusiasmo mental y la inteligencia gastronómica, hay un ron suave y peligroso, veraz y fabulador, leal, descarado y astuto, el espíritu del mismísimo Long John Silver. Pues a quien verdaderamente se parece este señor es al famoso pirata embaucador de grumetes, erguido sobre la cubierta de la *Hispaniola* con su pata de palo, su loro en el hombro y su catalejo, oteando en el horizonte la espuma de los sueños estrellándose incesantemente contra los acantilados de la isla remota.

Núria Espert

Se levanta el telón —es un decir— y aparece en el escenario un Hamlet turbador y adolescente, andrógino, vestido totalmente de negro, de muslos estilizados y grandes ojos almendrados. Así fue como surgió ante mí, por primera vez, esta señora, una noche bajo las estrellas, hace ya bastantes años. La felina elasticidad de sus movimientos, el terciopelo negro de las caderas y el puñal en la cintura de avispa persisten en el recuerdo.

Este notable rostro tuvo siempre una extraña vocación de mascarón de proa. Las facciones estiradas, tensas, sugieren una antigua y apasionada relación conel viento, el mito personal y eso que solemos llamar el incierto porvenir. La boca es delgada, austera, desprovista de cualquier exotismo sensual a la moda, pero no exenta de coquetería; elocuente incluso en reposo. Alrededor de las fosas nasales, en la nariz breve y espiritada, inventada, alienta una ansiedad de asmática romántica, un desasosiego o una palpitación del carácter. Toda la energía facial se concentra en la boca y en las sienes, que los negros cabellos al viento dejan al aire. Las gafas no permiten admirar unos ojos largos y calmosos, separados de la nariz, inteligentes y avisados, ni los párpados hieráticos y algo solemnes que derraman sobre el rostro un sofisticado misterio indochino.

Pero en esta figura lo interesante es lo que no se ve, sin querer desmerecer lo que se ve. La voz, por ejemplo, habitualmente reposada y un poco gruesa, convaleciente de no sé qué inviernos del corazón y la memoria, qué congeladas emociones y enfriados delirios. Sugiere una mente fría y un corazón caliente, una voz de fuego sumergida en el agua, como la de Ofelia, cierta fibra ingenua e ilusionada, entusiasta, pero también la ronquera sensual de Anna Christie o los infelices estertores de Desdémona —por no añadir los aullidos triunfales de Manelic, que ella es perfectamente capaz de interpretar.

Es el reflejo de ese fuego interior que trasluce el hielo del rostro, más que el rostro en sí mismo, lo que la distingue en la escena y en la vida.

Marguerite Duras

Ella tiene una prosa de ganchillo y un aire de pequeño buda.

Reprime la risa y levanta la mano. Quiere hacer una pregunta. Ella huele el perfume de la crítica. No dice nada. Hunde la cabeza sólida en los hombros y hace una señal con la mano. Quiere hacer una pregunta. La tenebrosa ternura asiática de las facciones, la cara de viejo batracio indochino. Lista ella, no dice nada. Retiene la pregunta. No tiene cuello. La mano es regordeta, mañosa y melindrosa como su prosa. Pequeño buda sentado tejiendo una prosa rosa de ganchillo, una cadena de reiteradas banalidades. La tensión verbal de los labios, los ojos achinados tras las gafas. *Madame la tricoteuse de la prose rose*. La pregunta va a estallar en su boca.

Dice: «¿Le gusta mi prosa de ganchillo?» Señora, hágase una bufanda con su famosa prosa tricotosa. Nos toma el pelo. La máscara asiática/parisiense exotiza el camelo de ese fraudulento engarce de frases. Ojos azules, pelo negro, menudo coñazo. Los papanatas de la crítica babeando ante la primorosa prosa rosa de la astuta indochina. Ella levanta la mano y les saluda, muerta de la risa.

Quiere hacer otra pregunta. Ella está sentada. Reprime las ganas de reír. La nariz patatera husmea al hombre, el perfume del hombre. Los grandes ojos rasgados detrás de las robustas gafas. Ella espera y sonríe, medita la prosa gansa, el diminuto cuento chino, el pequeño relato fruncido, plisado. La primorosa banalidad, el camelo almidonado. Esa porcelana rota de la cara, esas cejas espesas como las de Céline —qué ironía— y esa laca roja de los labios tensos que amenazan estallar de risa. Ahí está. Tremenda *tricoteuse* de la prosa boba. Ella quiere hacer otra pregunta y alza la mano. En los aledaños de esta sonrisa de goma, aquellos devaneos indochinos. Va a hacer la pregunta, traducida del francés. El plomizo nubarrón del *nouveau roman*.

Ella dice: «¿Le gusta mi prosa de ganchillo, *monsieur*?»

Decía Paul Valéry del abuso del lenguaje: el pensamiento convertido en mosca de la mierda. (También yo debería aplicarme la lección, claro está.)

Pepa Flores

En la desolada belleza del rostro perviven todavía los rasgos maliciosos de la nínfula, el pubertinaje de aquella chavala que paseó sus caderas pueriles y su perfil de gato por las postrimerías expectantes del franquismo estimulando ardores de quinceañeros y de viejos verdes. Un cine mojigato y cutre no pudo impedir el florecimiento de la Lolita nacional. En tiempos de represiones mil y azufres diversos, tanto eclesiásticos como políticos, la niña desarrolló una conciencia social y un cuerpo dorado, una voz caliente y encamada y una solidaridad política, mientras se convertía secretamente en el sueño erótico de todos los españoles. La memoria retiene algunos fotogramas: el vaivén de los glúteos bajo un vestido de raso, el muslo desnudo cabalgando una potente motocicleta, la efusiva plenitud de los senos frente a la infortunada Jean Seberg...

Luego desdeñó este cromatismo barato en beneficio de la rabia y de la idea, intrépidamente abandonó el sostén y levantó el puño bajo la estrella de cinco puntas. Decíamos entonces que su pinturero atractivo, su peculiar fluido sexual, más que el resultado de una combinación de plenitudes, era un breve catálogo de atributos de cachorro. La señora conserva algunos de estos atributos, pero su dinámica se ha hecho naturalmente más ambigua. Sus ojos azules dirigen al pasado relumbrón una descreída mirada de soslayo, una reflexión fría y lúcida, ofreciendo a la consideración del presente la hermosa desolación del rostro y de la quimera, el ayer fogoso que aún alienta en los cabellos y en la boca, la dureza de unos rasgos que proponen otro tráfago de ideas y deseos, otras corrupciones. Las ojeras embellecen la expresión, haciéndola gravitar en la serenidad y la inteligencia. La boca es la misma, levemente hinchada y con un rosado desdén de colegiala. Como todo aquel que ha triunfado siendo muy joven, recordará el éxito como una forma de degradación.

Juan Antonio Samaranch

Jamás a lo largo de la deprimente historia de este país había estado tan colmada la galería pública de figurones y politiquillos como en la hora actual. Son de una banalidad tan apabullante que están hundiendo al país en el aburrimiento más mortal que recuerdan los tiempos.

Naturalmente, el lector sagaz se guardará muy mucho de relacionar este espinoso preámbulo con la sedosa fisonomía del señor que hoy nos ocupa. Señor pequeño, tostadito o pálido según la temporada olímpica, con ojitos de pájaro y verbo emplumado.

Su cara suele ser una cara de constipado crónico, de nariz fría y belfo congestionado. Los rasgos se organizan según un método de civismo cuya apariencia inocente desconcierta. En alguna parte de esta carita centellea un amago de fulgor dorado, la sugestión de un destello fugaz, como un diente de oro visto y no visto en una sonrisa catalana hundida en el recuerdo, desfigurada por el tiempo y el prestigio de un oportunismo triunfalista y floral.

La boca es mojigata, la nariz pincha, las orejas ambicionan, el mentón no tiene futuro. Ahí radica la aparente debilidad, que expresa aquella hipotética inocencia a que nos hemos referido, y que en definitiva más bien parece el resultado de un magullamiento general. Porque esta pequeña fisonomía está como magullada, como si la hubiesen estrujado. Algo semejante a una manzana pasada y rugosa pero todavía perfumada, olvidada en un artístico frutero antiguo en algún profundo y oloroso piso del Ensanche...

Y de algún modo el rancio semblante está en el centro de lo gris, de cuanto hay de gris en este mundo. Pero ese gris fue el azul de los pupurrutas imperiales y de los famosos principios del movimiento parado y bien parado está.

Meryl Streep

O el encanto de lo natural. Feliz y contenta de su propia sencillez como una lechuga fresca. Una mujer dulce y espigada, guapa sin maquillaje, no directamente *sexy* pero de pechos de trigo y axilas afrutadas, seguramente de melocotón. Su dorada cabeza transmite un fervor ecológico y un amor al aire libre, y su proximidad produce una grata sensación de frescor y de peligro al mismo tiempo, muy excitante, igual que las cataratas del Niágara, las ostras vivas y las navajas de afeitar abiertas: se te hace la boca agua.

Todo en ella es espontáneo y natural: la sonrisa fácil en los labios tensos, entre los paréntesis de pequeños alegres pliegues, el suave mentón de muchacha americana sana y pecosa, de origen tal vez escandinavo, la nariz inteligente y algo presuntuosa, los luminosos y chispeantes ojos azules, los rizos tan hogareños en la frente y en la nuca. Cara de gente completamente normal, moderna, entusiasta, calentita como un pan, un pelín neura, de esas que a las tres de la madrugada puede apetecerle ver una vieja película pesadísima de Antonioni mientras se come un yogur. No es una cara tersa; diminutas arrugas la cubren como una segunda piel, como una tela de araña finísima aplicada a las facciones. La sonrisa es tan simple y hermosa que sostiene ella sola el vuelo expresivo, la flexibilidad de un rostro habituado a transmitir emociones. Visto de cerca, el desgaste de la piel se organiza por zonas y pausadamente, con suaves remolinos alrededor de los ojos y en las mejillas, o balanceándose alegremente hacia las sienes; pero en el conjunto permanece el encanto juvenil, la chispa y los ardores de la adolescencia. Una mujer notable.

Carmen Sevilla

Años y años espiando el lento proceso hacia la plenitud de esta veleidosa anatomía, de esta belleza indecisa y caprichosa, sujeta a los mil vientos pasajeros de la moda pero siempre en pos de una personalidad estable, y de pronto cuajó en esta señora dulcemente ajamonada y con voz de alumna de las Esclavas. Incluso ya está un poco más allá de la plenitud, y su figura es admirada con esa melancolía que inspira los ideales de la primera juventud.

El óvalo de la cara, que hace años carecía de interés a causa de la mandíbula breve y como en tensión, como si siempre estuviera mascando chicle, ofrece hoy la serena armonía de la madurez y el relajamiento. Hay en alguna parte, quizás en los ojos y en la sonrisa, una disposición familiar y vagamente prohibida, como si se tratara de nuestra prima más guapa y más cachonda. Los nervios secretos del erotismo que se articuló en este importante cuerpo perviven aún en la voz de constipada nasal, voz entre sábanas y medicinal, encamada y con húmedas resonancias íntimas; en la juguetona cola de pez que se formó entre los senos, y en la cara interna de los blancos muslos combados.

Una frente pura y un hermoso pelo. Unos ojos risueños y hundidos, una lengua surrealista, unos labios un poco delgados, y una nariz pícara. Las caderas son rotundas, lo mismo que las rodillas, que a veces, cuando su dueña las junta al sentarse, semejan dos gordezuelas caritas de niños con hoyuelos. El cuello es débil y no muy esbelto, pero la espalda ofrece un robusto interés. Los tobillos gruesos hacen juego con la voz de señora convaleciente y encamada, quizá con algún achaque circulatorio. No son muy largas las piernas, y sin embargo, uno tarda lo suyo en recorrerlas. Las axilas son estuches forrados de seda.

Es una señora que fue de un atractivo espectacular y palpable, y que hoy es desbordante, muelle y simpático.

John Wayne

Aquel jovencito que conocimos imberbe, esbelto y flexible, estaba por aquellos años muy lejos de trocar su sombrero tejano por la boina verde y también muy lejos de ser amigo de Goldwater, de Johnson y de Nixon. Ya entonces, sin embargo, su boca de labios finos, como un tajo, parecía capaz de formular insensatas opiniones patrioteras del más genuino sabor imperialista yanqui y defenderlas a punta de revólver. Los ojos pequeños aún conservaban la intrépida luz de la adolescencia y el generoso ideal de la aventura que el paso de los años, la ignominia fílmica en Vietnam y los coqueteos con la Casa Blanca había de enturbiar y degradar.

Pero siempre hubo, en honor a la verdad, cierta grandeza heroica enroscada en sus altas caderas polvorientas, curtidas por el sol y el viento de nuestras irrecuperables praderas infantiles, y en su inconfundible forma de caminar inclinando el torso hacia adelante y con las piernas muy juntas, quizá con el trasero escaldado, siempre como si acabara de descabalgar.

Hay una pereza articulada en sus largas extremidades, en su cintura lentísima y en sus encumbrados hombros y, sobre todo, en la forma de cargar todo el peso del cuerpo en una sola pierna. Por eso la gran osamenta, este desmesurado y poderoso esqueleto, aunque no podría evitar el acumular postreros volúmenes con el tiempo, jamás perdió su arrogante y parsimoniosa inclinación a mitificar el gesto, aquella manera tan suya de aplicar la mano al costado como si le doliera el hígado, o de torcer la boca irónicamente, o de emborronar la frente con el tumultuoso cinismo de las cejas inquietas, cegado siempre por el sol, el viento y la épica del Oeste.

He aquí uno de esos muchachos de pies grandes que parece haber crecido más que sus ropas y sus ideas. Las ropas que mejor le sentaban eran las de vaquero; las ideas también.

Ornella Muti

Esta señorita tiene francamente muy buen aspecto. Al primer golpe de vista su anatomía se impone rotundamente, a pesar de algunos defectos, por ejemplo, sus gruesas rodillas de cuarentona y su expresión banal, casi de pepona. Todo en ella parece recién estrenado: los verdes ojos, las poderosas ancas, la boca glotona, el ombligo, etc. Una adolescente de bandera, de pasarela. Y a la vez una nínfula mediterránea, con la naturaleza ambigua de tal especie: una mezcla de inocente puerilidad y de vulgaridad descarada que emana de las chatas caras bonitas en anuncios y revistas, y el confuso rosado de las criadas adolescentes del viejo mundo burgués, que llegaban del pueblo con su olor a sudor y a margaritas estrujadas.

Parece haber heredado la inquietante cualidad hierática de aquellas mujeres del siglo pasado que se disfrazaban de niña cuando veían muy aburrido al marido. Hay en su caminar una desvaída sugestión de pulgares vueltos hacia adentro, una turgencia de nalgas tensas, vestidas probablemente de negro, y una intimidad opaca en sus muslos de colegiala. Por lo mismo, en el tenue lustre sedoso de sus sienes se combina la inmaculada ternura del trigo y la frialdad del mármol.

Sin embargo, el vigor de su encarnadura ofrece serias dudas. La efímera cualidad de la nínfula la acecha: es el tipo de muchacha cuyo cuerpo anuncia ya la recta final de su sazón y plenitud, el desmoronamiento a corto plazo, el desbastamiento de cintura y caderas: demasiado hecha para ser tan joven. Diríase que su estabilidad pectoral y muslera se verá seriamente amenazada dentro de tres años. Una pena.

Sofía Loren

La señora está muy distinguida, muy inaccesible, muy de su casa y muy instalada. Viste con elegancia, pero jamás será elegante. Es una estrella, pero hace ya varios años dejó de enviarnos su luz. Es alta, pero no esbelta. Es pechugona todavía, pero sus senos ya no ejercen aquel explosivo magisterio de la chica del río.

Sus ojos rasgados, estirados hacia las sienes, son bellos pero ya no felinos. La boca es atractiva y espectacular, pero ya no vampírica. Las piernas parecen seguir creciendo, poniendo en peligro la difícil armonía que siempre lució el cuerpo. El famoso calibre de las caderas ya sólo está en la memoria turbia de Cinecittà.

Sin embargo, sigue siendo lo que se dice un pedazo de hembra. Amueblada, enjoyada, enmaridada y enmadrada y con ínfulas de verdadera actriz, es lícito pensar que debajo de todo eso todavía late de vez en cuando la Filomena Maturano ardiente y parlanchina. Sus rasgos se han afilado, su nariz es levemente más ganchuda y parece husmear malos olores, sus hombros se han descarnado algo. Pero mantiene cierta arrogancia juvenil, ya que no aquel furioso deseo de gustar que se enroscaba a su cuerpo como una serpiente.

Su cara, que fue exótica, está pasada de moda. Sigue ahí la barbilla tensa y la húmeda plenitud labial, pero ofrecen un escaso interés.

He aquí una señora que fue respetable por sus formas y que se ha convertido en una respetable forma de señora.

Marlon Brando

Señor propenso a algo más que al derroche de talento y de gordura, a ladear la cabeza prepotente, a embestir con la mirada. Sobreviven, del esplendoroso atractivo juvenil, la vasta frente dorada, la boca musculosa, el mentón de mármol y la línea felina de nuca y hombros.

Muslo combado y lento, perezoso, propio del individuo estático y contemplativo, habituado a descansar el peso del cuerpo en una sola pierna. Brazo fuerte y a la vez suave y con nostalgia de camiseta de manga corta, cuello melancólico que antaño fue de Antinoos y en donde latieron tantas figuraciones de joven animal fabuloso, tanto mimetismo, arrogancia y abominaciones. Perfil enfurruñado, ensimismado, siempre con algún mito personal entre ceja y ceja. Un rostro, en suma, cortado a cuchillo, pero celosamente dúctil: el menor tic de la boca repercute todavía en la sien, como si poseyera un complicado mecanismo de conexiones en cadena.

A juzgar por el gesto hosco, hoy día ya amanerado, tuvo una juventud mítica y secreta, que tal vez se le fue oscuramente en el difícil aprendizaje de preceptos sentimentales como éste: una mirada de odio penetra los recodos del alma femenina mejor que una mirada de amor. Sombría convicción, ésta, que sólo se obtiene con el esfuerzo, la madurez y cierta audaz disciplina facial, y que al cabo se traduce en el estigma, el sello de los elegidos, la marca que les distingue y que permanece cuando ellos ya han desaparecido (la ceja arqueada de Clark Gable, por ejemplo, la leve cojera de Herbert Marshall, o la vena hinchada en la frente de Charles Boyer).

De escaso pelo, mofletudo, un tanto cabezón, atiborrado de talento, acosado por una extroardinaria idea de sí mismo y por el fantasma de un torso legendario.

Marlene Dietrich

El extraño y pertinaz fulgor de los pómulos gatunos, la ternura asiática de los párpados, las mejillas chupadas, la delirante vida de las aletas de la nariz, la frente pura, translúcida, sedosa. Éstas son algunas de las cualidades de una estrella que, aun cuando ya está apagada, nos sigue enviando su luz, como las de verdad.

Esta hermosa señora, este fantasma inolvidable, es más real que esta tierra que pisamos.

Sobre el pequeño barril que ya no existe, definitivamente astillado por el tiempo y el olvido, el soberbio calibre del muslo derecho, su luz y su nácar, su liguero negro y su reclamo siguen siendo palpables. Las largas piernas enfundadas en medias negras son como la espina dorsal de la memoria.

La rara perfección de la nariz armoniza con la suavidad del mentón. Hay una ironía levemente viril en las comisuras de la boca, que hace juego con la chistera ladeada y con el frac. La blanca pechera y la cara emiten destellos.

La cabeza es bellísima porque los huesos son perfectos. Esta cabecita orlada de oro fue a Shanghai, ciudad llena de espías y peligrosa, simplemente a comprarse un sombrero. He aquí un rostro nimbado por el halo de los sueños, por el auténtico polvo de estrellas. Y el cuerpo, vestido de fúlgido lamé o de severo frac, estará siempre gloriosamente aculado sobre el barril de la memoria.

Marilyn Monroe

In memorian

Perteneció a esa estirpe de criaturas acerca de las cuales uno no recuerda exactamente si sus ojos fueron azules; uno recuerda muy bien, en cambio, el delicioso guiño de esos ojos.

He aquí la muchacha que se ofrece surgiendo del trasfondo luminoso de su propio sueño provinciano. Ciertamente caminaba con un asombroso sentido de la tradición, consciente tal vez de conducir sus sonoras caderas hacia la inmortalidad: en cada una de sus pisadas, había un derramamiento de áureos sueños.

Era rubia y sencilla como el trigo. Por encima de la nariz entontecida y entrañable, se asomaba a sus ojos un espejismo de asombro y desamparo. Había en su muslo legendario una fatiga de oscura corista, algún hematoma azul o alguna humillación. No sé por qué, pero juraría que alguna vez vi a ese ángel rodeado de obispos apopléticos y de gángsters tísicos (caras roídas por la viruela bajo sombreros de ala torcida). Hoy sabemos que su sensualidad y su belleza carecían de misterio, y aquel ojo feroz con que fue calibrada la cadera musical, apagados los ardores de la juventud, entona cierto mea culpa: nunca fue híbrida, nunca fue incolora a pesar del abuso del technicolor, ni siquiera excesivamente centelleante y deslumbrante; tuvo sus repliegues y sus claroscuros y no fue una muñeca de plástico.

Cuando se encaramó definitivamente a los altos tacones rojos, sus movimientos resultaron extravagantes y excitantes. Había en sus hombros encogidos un frío suburbial, y en su golosa garganta una lenta combustión interna. Jamás un tubo de Nembutal mereció esta boca. Su cuerpo de luz compacta, vestido únicamente con Chanel núm. 5, se esfumó. Sus caderas están quietas, deshaciéndose en la oscuridad. Esta señorita fue la inofensiva rubia fatal, la inolvidable corista de mallas zurcidas, el dulce ángel de luz cuyos admiradores nunca olvidarán.

José Antonio Girón

Alto y constante, de blanca cabeza leonina asentada sobre imponente cuerpo de alzadas espaldas donde flota un confuso aleteo de águilas, un complicado rumor de guerra. Caballero de plata fúnebre, con cejas como crespones negros, con ojos de hierro. Una vigorosa entidad física de prietas convicciones y embestida frontal, de roncos recordatorios y urgencias verbales, pero también de soleados silencios y aplazadas auroras.

Al primer golpe de vista, cuando avanza, su figura sugiere una energía y una urgencia incongruentes, un movimiento contradictorio de rechazo y adhesión a la vez: la cojera es añeja y hasta romántica, blasonada y conforme, pero los hombros aupados generan esa fuerza en reposo de los felinos, esa agazapada impaciencia dorsal que anuncia el salto, la acción.

Salto, por otra parte, dormido en su propia dinámica, garabato histórico del saltador de vallas clavado en la salida, patética figura de mármol que eterniza el instante del impulso inicial: El Movimiento que no se movió. Los ojos trabados, no exentos de cierta ironía, recelan saltos ajenos, agazapadas inminencias. Las frente es generosa y prepotente, de temperatura castrense atenuada por la nieve de los intactos cabellos, nieve que también salpica el duro bigote de corte tradicional. Curiosamente, la boca es recoleta y de una ternura casi infantil.

He aquí una gran cara trabajada por el tiempo y la ensoñación, no sólo de todo aquello que fue sino también de todo aquello que pudo haber sido, surcada por tantas cosas que han pasado y tal vez por otras que van a pasar, repliegues de la memoria, arrugas, bolsas, cicatrices, coágulos del olvido, sombras de sombras.

Henry Kissinger

Frente deprimida. Orejas pequeñas pero mortíferas. Boca escueta, hosca, tipo cremallera: los pliegues en las comisuras truncan cualquier posibilidad de alegre expansión y confianza.

Hay amargura, tristeza, confusión, ironía, falacia y dolor de hígado en esta cara, una caótica amalgama de sentimientos diversos y posiblemente todos falsos. La tristeza apayasada, inestable, proviene de las cejas caídas, asnales, que derraman sobre el rostro un reflejo de espeluznante inocencia infantil. Espeluznante porque este señor no es inocente ni es infante. Es simplemente un señor bajito con una firme mandíbula de esas que apuntan al pecho de la gente. Parece usar una máscara de asesino profesional o de maniaco sexual en un film checoslovaco que nunca se ha hecho pero que podría hacerse. Posee esa cualidad hierática y luctuosa de los pistoleros de baja estatura, esa estática tranquilidad que proviene de creerse superior, de sentir que está reflexionando en voz alta en presencia de una vaca o una legumbre.

Tanta pesadumbre hay en esta mirada, que nadie diría que es capaz de organizar una guerra. La paz de algunos países está encaneciendo sus cabellos, que están bien lejos, contra lo que opinaron en Estocolmo, de la blancura de la paloma. En resumen, tras la lánguida mirada perruna este señor esconde una pupila de pus. Pero sería injusto comparar a un político con un perro. Sería injusto para el perro, que es una criatura sensitiva y solidaria.

Richard Nixon

Cuando se despidió del poder, su cara se había convertido en una triste patata hervida. Con piel y todo.

Era la culminación de un proceso de ardores y féculas imperialistas que sólo despertó compasión a los tubérculos pensantes del occidente, que son muchos. Alguien, tal vez un experto en casablanquinología, debería escribir un tratado acerca de las últimas, sucesivas y vertiginosas fealdades de este señor.

Porque no es feo de una sola pieza, o mejor dicho, no lo es de una forma estable y permanente: hay una siniestra condición volcánica en esta accidentada epidermis, en estas mejillas fláccidas, una convulsión y un hervidero de patrañas y sobornos, erupciones y vapores, como el Dr. Jekill en su violento trueque facial con Mr. Hyde. Pero su fealdad, aun tratándose de una suma de fealdades móviles que se generan a sí mismas y a cuál más sorprendente y penible (semejante a una mala escultura quincallera de Calder), es inexcusablemente mediocre y perfectamente descriptible.

La nariz es mezquina, la boca es pútrida y la oreja pueril e incompetente: ni siquiera la infausta manía de la espionitis le dio consistencia. He aquí el entrecejo del que nunca tuvo entera fe en sí mismo. Se ha dicho que tiene cara de vendedor de automóviles usados. También podía haber vendido fijador para el pelo, braslips, ollas a presión, desodorantes, judías cocidas, excavadoras y películas porno. Sonambulizó a la opinión mundial con un enigma histórico que trae de cabeza a sus biógrafos: acabó con la guerra del Vietnam y ayudó a Kissinger a ganar el premio Nobel de la Paz. Era un macabro humorista, un tocador de piano, un triquiñuelas.

No está bien, suele decirse, hacer leña del árbol caído. Pero este señor no era un árbol (lástima) ni cayó; que lo tiraron, y bien tirado estuvo.

Kim Novak

Otra espalda memorable. De una desdeñosa perfección, de un inaccesible cutis. Memorable. Pero acerca de las partes habría mucho que hablar. No es en un solo ojo, nos recordaba Henry James, sino en los dos juntos, donde reside la expresión; es la combinación de rasgos lo que constituye la identidad humana, la irrepetible y única personalidad física. Abundando en esta idea podríamos añadir, acerca de esta rubia encarnadura que nos ocupa hoy, que no es en una sola pierna, sino en las dos, donde radica la tensión febril de sus andares, y que es en la doble violencia lechosa de los senos (que aún cobijan la mítica sombra adolescente de la cola de pez) donde agoniza la mirada.

Tan sugestiva, tan rotunda y afirmativa, tan ilustrativa de cierta calidad de hielo ardiente y duro —capaz de licuarnos mediante prácticas indescriptibles e insospechadas—, como expositora elocuente de lo que se ha dado en llamar una personalidad bien armada y pertrechada (tobillos gruesos, nalga sorda, boca facultada), pero de naturaleza erótica tan relativamente yerta y mansa, tan simplemente compacta y como iluminada en exceso, sin esos claroscuros que son la desesperada sal del deseo, tan híbrida en el fondo y casi diríamos tan insensible, que su decididamente importante cuerpo, en conjunto, ofrece tan pocos pretextos para el análisis como una muñeca pulida y rosada envuelta en celofán, orgullo sólo de aquella excitante juguetería que fue Hollywood y que hoy no es más que un triste desván de trastos viejos.

Quisiera agregar, además —en la medida en que es una cuestión susceptible de gustos afilados y, en mi opinión, defraudados— que esta señora de nácar deliciosamente emputecido, con toda su misteriosa sutileza, no ha tenido imitadoras. Ello se debe tal vez a la imposibilidad de renovar aquella fuerte mezcla, aguardentosa en verdad (pero con grosella) de sus turbias corvas y densos tobillos y marmóreos muslos, en relación con el inofensivo azul de sus ojos y la inmaculada, pero mortífera, blancura de sus senos.

Robert Mitchum

Ésta es la cara del cinismo, encastillada en un lento cuerpo donde suben enroscándose los humos de la suficiencia y el desdén. No es la boca la que sonríe burlona, sino los ojos. La ceja encaramada en la frente continúa la tradición de una dinastía gloriosa que fundó Gable. Orejón, cabezón, con hoyuelo en el mentón y fina boca de rufián. Poderoso cuello, poderosos hombros, pechugón, un poco echado hacia atrás como si la punta de un invisible cuchillo amenazara siempre su garganta. De una meticulosa lentitud, exasperante y divertida a la vez, despectiva y abrumadoramente imaginativa. El duro más descaradamente banal y desdeñoso que ha poblado un mundo de fantasmas.

Sin embargo, su desesperante parsimonia está cargada de razón. Si es verdad que a este mundo hemos venido a sufrir, sírveme una copa. Y adiós muy buenas. Dura cara de descreído, abofeteable, insufrible, cara como el cemento. Señor erizado de dormidas violencias, diríase que el trato frecuente de señoras bajitas y enamoradizas le ha deslomado y le ha enfermado el hígado.

Siempre usará pantalones anchos y americanas

holgadas, siempre su nuca será insultante, siempre se irá sin despedirse.

La fuerza de su seducción, combinada con un sabio concepto de la antipatía, consiste en no ejercer la seducción. Todo el rostro soporta esta heroica renuncia, esta dimisión irrevocable, y aun diríase que se excusa por ello.

Traslada su corpachón de un lado a otro como si le doliera el alma, con alguna certera visión de cuán inútiles son los afanes humanos, los afanes del Papa, la lluvia sobre el mar y las tetas de los hombres.

Jeanne Moreau

Posee todos los atributos para ser una mujer sosa y desangelada, y, sin embargo, es todo lo contrario.

La naturaleza de su vigoroso erotismo fue una de las mayores incógnitas con que se enfrentaron algunos mediocres peliculeros de la década de los cincuenta. Tal vez el secreto reside en el movimiento, como en la copla aquella de mi barca, porque sus encantos, analizados uno por uno, son realmente dudosos.

Esta boca desgarrada, desplomada, pesarosa y diríase que ultrajada, no es excitante en el sentido tradicional de la expresión. Tampoco los ojos, grandes y expresivos, avasalladores, son bellos según los cánones convencionales de la caprichosa modistería peliculeril. El rostro exhibe una alicaída severidad, una fría independencia.

En cuanto a su cuerpo, se ha dicho de él que posee un estilo de solterona en decadencia. Y sin embargo...

Sin embargo fue una de las mujeres más atractivas del celuloide inflamable y perecedero. Ciertos movimientos abdominales, como un recogimiento pectoral o encogimiento de hombros (de una blancura insólita, de una frialdad de mármol) han reflejado de manera magistral un sabio desdén por el mundo, una indiferencia visceral memorable. Hay una humedad eléctrica, una fuerza magnética, una sensualidad natural, felina y exacerbada en esta figura, y que transmite la verdad y la vida a cuanto toca, por dondequiera que pase y haga lo que haga.

Si alguna vez el cine tuvo boca, y esta boca nos propuso algo maravilloso e inmediato, esta boca fue la de Jeanne Moreau.

Greta Garbo

Conocida también como la Esfinge, por su hieratismo facial. Sin embargo, la capacidad expresiva de esta cara había de resultar legendaria. Su figura expresaba un cierto vigor, una como virilidad desconcertante: era alta, de hombros un poco demasiado anchos, de brazos robustos y sedosos, senos discretos y con un escalofrío pectoral, como si andara destemplada. Se anticipó a su tiempo por una estricta cuestión de ritmo corporal: se movía, miraba, andaba o se estaba quieta, con un sentido del tiempo y del espacio distinto por completo del que tenían sus contemporáneos.

La hermosa frente gravita sobre una mirada fría y distante, no exenta de arrogancia. La nariz tiene, como dijo Cecil Beaton, la sensibilidad primitiva de una criatura del bosque.

La boca no ofrece concesiones excesivamente sensuales, es casi antipática, desdeñosa, de hirientes comisuras capaces, eso sí, de registrar toda una extensa gama de vibraciones interiores. En los aledaños de esa boca inmutable, en las proximidades de esa nariz que «se la ve latir» radica el centro estable de la famosa fascinación. Una sensibilidad inalterable. Una luz, de incierta procedencia, que trasciende la carne.

Pero el misterio de esta señora, el célebre secreto, no consistió en otra cosa que en la alteración de un ritmo, en la imposición de un compás distinto. Viendo cualquier película suya de la primera época, la ruptura que imponía su presencia, estática o moviéndose, la distinguía.

El efecto era parecido al que debió producirse cuando, en tiempos inmemoriales, el hombre se irguió por vez primera en la historia sobre sus cuartos traseros, y echó a andar en medio del estupor de su generación. De ahí se deriva su naturaleza erótica ciertamente equívoca, desconcertante. Ya lo dijo el crítico inglés Kenneth Tynan: «Aquello que, estando uno borracho, lo ve en otras mujeres, lo ve en la Garbo estando sereno.»

Richard Burton

Después de sortear como un vagabundo noctámbulo los escollos del alba, los espejismos del éxito y las crestas erizadas y locuaces del espeso alcohol conyugal, aquí está, fantasmal e indestructible rostro convaleciendo todavía de su prestigiosa juventud, su talento y su atractivo, hermoso rostro granítico lavado por la lluvia, roído por el tiempo y los soles inclementes, picoteado por los pájaros y los granizos, erosionado como por la acción lenta y tenaz de la arena del desierto y las mil y una laqueadas uñas femeninas, por un inmemorial viento ululante y teatral, por las mareas del aburrimiento y del whisky en yates de lujo y en degradadas alcobas principescas, fisonomía dura e inhóspita donde se estrella el maldito amanecer de cada día, y que lo repele, preservando en los ojos achicados bajo la poderosa frente una intacta visión antigua del pasado esplendor y la juventud, aquellos rizos de cobre orlando la orgullosa cabeza, aquella estatuaria virilidad colgando en las comisuras de la boca, símbolos de cierta apasionada manera de amar, y aquellos límpidos ojos azules donde se miraba la locura de su prima Rachel, todo lo que hoy es irreversible piedra, roca volcánica y frío mármol lapidario, una encarnadura calcinada y carcomida pero que mantiene intacta la sugestiva expresión de unos rasgos burilados sin piedad sobre la sólida perfección de los huesos, intacta la taciturna boca, el bello mentón arcaico y la frente dominante, con su invisible pensamiento y su impacto lumínico de inteligencia libre y sensual, su pelo aún lustroso y amigo del viento pero ya un tanto alicaído, inmune a los hechizos de la gloria.

Aurora Bautista

Con mofletes, gorditos labios, nariz respingona y ojos alertados. De jovencita, en su voz resonaron todas las históricas grandezas de la hembra española. Cubierta siempre con largos y suntuosos atuendos, durante mucho tiempo fue imposible sospechar que tenía unas piernas bonitas y un cuerpo de una notable redondez sujeta y disciplinada. Pronto había de alcanzar ese cuerpo la plenitud de una rosa de pétalos sueltos, pero de eso tampoco nos habíamos de enterar porque seguía en plan de heroína histórica.

Tiene su nariz una cualidad expectante y activa, como si estuviera siempre rondando un frasco de perfume abierto que endulzara el aire. Tiene el mentón de alumna de colegio de monjas y las mejillas llenas de travesuras. Un tipo de expresividad cálida y estática, contenida, amenazada constantemente por el rigor retórico y grandilocuente de la boca. Aunque solía permanecer muy quieta, de pie en medio de grandes estancias dominadoras y polvorientas, había siempre en todo su cuerpo como una vibración sutil en contradicción con el personaje y la edad que representaba. Desaparecida aquella incongruente autoridad física que soportaban sus hombros, demasiado rectos, con las clavículas formando una línea preciosa y pura, juvenil, fue la espléndida tía Tula con palpitaciones y sed nocturna, voz mojada y sábanas ardientes.

Nos mira siempre como recordándonos que no supimos mirarla, que no supimos ver debajo de los pesados terciopelos y complicados bordados de la historia oficial el vivo y ardiente fluir de la sangre lozana.

Laureano López Rodó

Ungido de especiales indulgencias, he aquí un señor alto, de hombros estrechos y estricta alegría, envarado y oloroso como un cirio pascual. La mirada, persistente y vivaz, parece muy particularmente dotada para escrutar de reojo; la nariz es muy completa y vigorosa; la sonrisa estereotipada y como excesiva, glotona. Un aire eclesiástico y posibilista, de primero de clase con mención honorífica, ronda esas mejillas, donde se acumula la pulcritud y la astucia.

El largo rostro posee ductilidad, la voz merece ser nasal y gregoriana. Los tersos labios, semejantes a dos tiritas de goma, segregan un grado superior de humedad y bisbiseo, como de confesonario. Hay grandes dosis de cortesía y falsa cerámica en la aséptica barbilla, y el cuello es servicial, listo y cumplidor. La frente estudiosa y grave restituye cierto precario equilibrio que los coqueteos del mentón, demasiado risueño y confiado, pone a veces en peligro.

En su hieratismo solemne y canónico, susurrante y celebrante, flota todo un ceremonial catedralicio con abovedadas resonancias de latín preconciliar, naturalmente de espaldas a los fieles.

Sin embargo, extrañamente, se destaca en el conjunto de esas cualidades afables, de esos gregorianos ecos y de esos tufos de incienso que transpira la dominical y radiante fisonomía, una oreja alta y sibilina, artera, demoníaca, soberanamente dotada para detectar quién sabe qué. Es una oreja alertada y tensa que, de algún modo, desautoriza y desarma a la sonrisa tan arduamente elaborada, desarrollada y listona, mercantil, de vendedor de algo, catalanesca.

Señor berenjena. Solemne cirio pascual.

La edición consta de 6,000 ejemplares.
Impreso en mayo de 1998 en **Litoarte, S.A. de C.V.**,
San Andrés Atoto No. 21-A, Col. Ind. Atoto,
Naucalpan, 53519, encuadernado en
Sevilla Editores, S.A. de C.V.
Vicente Guerrero No. 38,
San Antonio Zomeyucan,
Naucalpan, 53750,
Edo. de México.